고수

차례

……

뭐야,
여긴 지키는
사람도 없나?

이 위에
파천문 총단이
있는 건가.

저벅

저벅

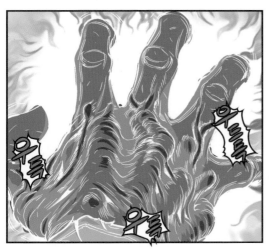

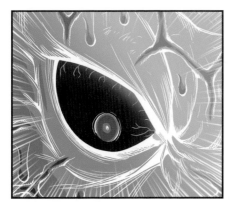
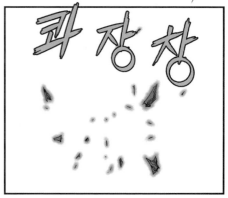

늦었군.

급히 매듭지어야 할
일들이 남아 있어서
조금 지체했습니다.

……

신선림
늙은이들은…,

지금 어디에 있나?

이곳에서는 그들의 기가 느껴지지 않는 것 같은데.

'복마궁'에 들어가 있습니다.

복마궁이라….

과연…, 그곳이라면 기를 느낄 수 없는 것도 당연하겠군.

어떻게 하시겠습니까?

기다리시겠습니까, 아니면…?

성내의 정예요원
대부분이…,

어딘가로 동원돼
가는 것 같던데.

자네가
시킨 일인가?

예….

하나 사형께서
신경 쓰실 정도의 일은
아닙니다.

강룡…,

그 애송이와
관련된 일은
아니겠지?

으익!

교룡갑에 남아 있던
네 잔여의식을 보았다.

그런 마음을 먹은 건
언제부터였나?

……,

어디서부터 어디까지가
네놈이 꾸민 일이냐.

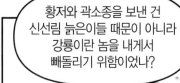

황저와 곽소종을 보낸 건
신선림 늙은이들 때문이 아니라
강룡이란 놈을 내게서
빼돌리기 위함이었냐?

아니…,

애초에 이곳에
신선림 늙은이들이
있긴 있는 건가?

있소!

16

......

!

그 결계를 뚫고
복마궁에 들어갔다는
말을 믿으라고?

네놈이 의도적으로
들여보내준 게
아니고서야⋯.

신선림 은자들의
의도와 능력은
내 계산의 범주 밖이오!

그건 사형도
알지 않습니까!

뭐, 좋아…

하나하나
확인해보도록 하지.

이런 건
무의미한 짓이오,
사형.

그만두시오!
내 실체는
다른 곳에 있소이다!

외부인이 여기까지
어떻게 들어왔느냐!

당장 소속과
목적을 밝히지 않으면
체포하겠다!

...

이건 또 무슨….

백마곡주 진가령.

동쪽 관문에서 두춘이란 자를 죽이고 오는 길이다.

알았으면 당장 가서 차를 내오든지 파천문주를 불러 와!

!

확인될 때까지 절차에 따라 구속하겠다!

뭐?

불응하면 척살하겠다! 포박하라!

옛!

손을 머리 뒤로,

대체
뭐 하자는
수작인지···.

관문을 지날 때부터
쥐XX 몇 마리가 숨어서
졸졸 따라오길래
뭔가 했더니,

이따위
유치한 짓거릴
꾸미고 있었나···.

콰

쾅‥

160화

사형 말대로 나는
이 천곡산 내에 있소.

숨거나 달아날
생각은 없소.

사형이 수습해야 할
문제를 해결하고 나면
다시 보게 될 거요.

……

고독(蠱毒) 인가?!

......

뭐야, 무슨 일이야?!

소륜당 후원 쪽이다!

......

!

뭐 하는 자냐!

여기서 뭘 하고 있는 건가!

모두 체포해라!
반항할 시
죽여도 좋다!

옛!

얼씨구.

이유야 어쨌든
지들 문파와 싸우러 온
사람들이니 환대까진
바라지 않지만,

뭐? 체포?
죽여?

그딴 식으로 나오겠다면
우리도 이딴 식으로
나가는 수밖에 없지!

시끄럽다!

시비는 네놈들이
먼저 걸었으니
몇 놈 죽어도
원망하기 없기!

놈….

여기가
어디라고
감히!

안 돼요!

33

죽이면 안 돼!
저들은 모두
'고독'에 중독된
상태일 수도 있어요.

！

고독…??

설명하자면
길어요.

아무튼
되도록 죽이지 않고
제압해야 해요.

……

그렇군.
이건 '고'가 폭발한
흔적이었나…

예…. 그럼
까다롭지만
중상 정도로
처리해보죠.

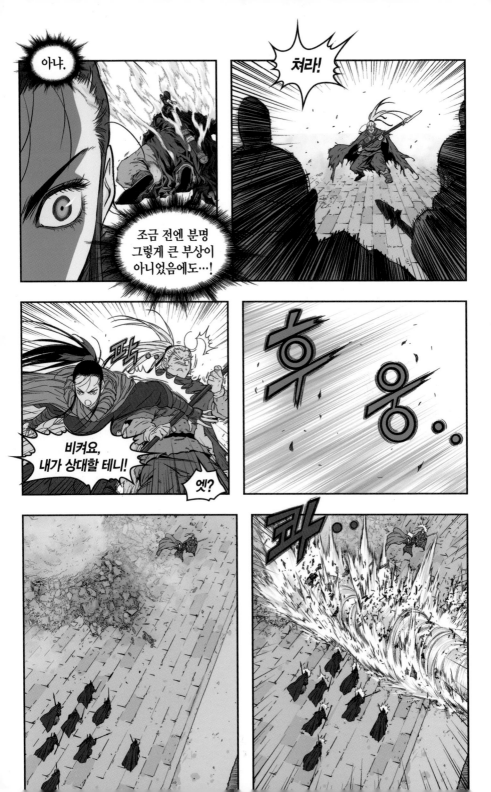

?!

너희의 상대가 아니다.
물러서라.

조, 존명!

......!

훅..

......

이 자가…,

흑룡왕 혈비!

제령왕이 어디 있는지…,

알고 있느냐?

......

제령왕께서
어디 계신지는
저희도 잘…

즉시
찾아보겠습니다!

흐음….

이놈들도 어차피
환사가 길러온
개들…일 테지.

…그동안 놈에게
너무 많은 것들을
맡겨둔 채
지내온 것 같군.

꾸득..

여긴
본좌에게 맡기고
너흰 물러가라.

존명!

귀공들이
각 관문을 통과한
호걸들이신가.

백마곡 곡주
진가령.

풍진방 방주
도겸입니다.

소진홍,

무명잡객이오.

파천문주 흑룡왕
혈비라 하네.

본문에 사정이 있어
제대로 된 대접을
못하는 점은
이해를 바라겠네.

방금 전 저들의 행동은
문주님의 뜻이
아니었다는 듯이
말씀하시는군요.

본좌는 천곡칠살을 제압한 이들을 상대로 아랫것들에게 무모한 도발을 지시할 만큼 어리석지 않네.

아무튼···,

그대들 또한 대접이나 받고자 여기까지 온 건 아닐 터.

부하들의 태도가 불쾌했다면 대신 사과하지···.

본좌에게 볼일이 있지 아니한가.

그 전에 한 가지···.

남쪽 관문으로 향한 분들이 우리보다 먼저 이곳에 도착했을 텐데,

혹 그분들에 관해 아는 것이 있으신지?

남쪽 관문은 본좌가 지키고 있었네만,

그곳을 통과한 사람은 아무도 없네.

41

아…!
그곳으로 온 사람이
있긴 했지.

죽기 직전까지
패배를 인정하지 않고
동료들의 도움으로
비굴하게 달아난 그자가
혹시 그대가 찾는
사람인가?

뭐…?

내가 아는 건
그게 전부일세.

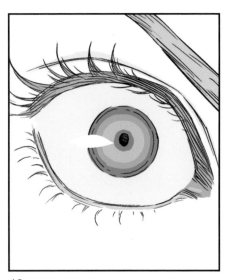

42

격렬한 싸움의
흔적….

그리고…
혈흔?

그…럴 리가….

더 물어볼 것이
없다면…,

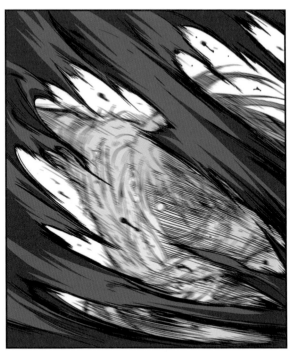

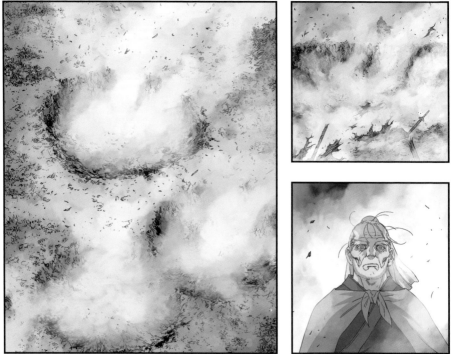

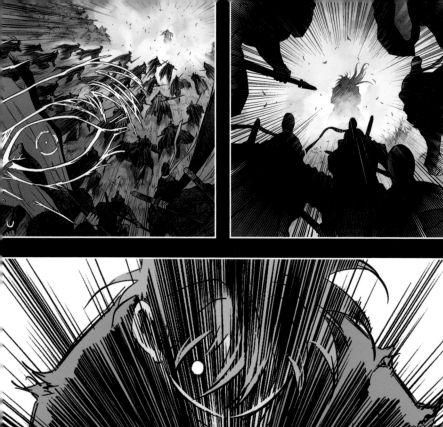

듣던 대로…,

상대를 죽이지 않고
파동형 공격으로 실신만 시키는
모습을 보았을 때 놈의 약점을
확인했다고 생각했다.

놈에겐 안된 일이지만
고(蠱)의 지배를 받는 육체는
충격으로부터의 회복이 빠르다.

죽이진 못하더라도
제령왕의 지시가 있을 때까지
놈의 발을 묶어두는 것 정도는
충분히 가능해.

그런 물러터진 성격으론
결코 이들을 뿌리칠 수도
벗어날 수도 없을 테니.

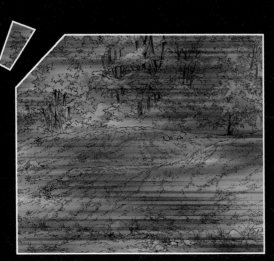

한데…,

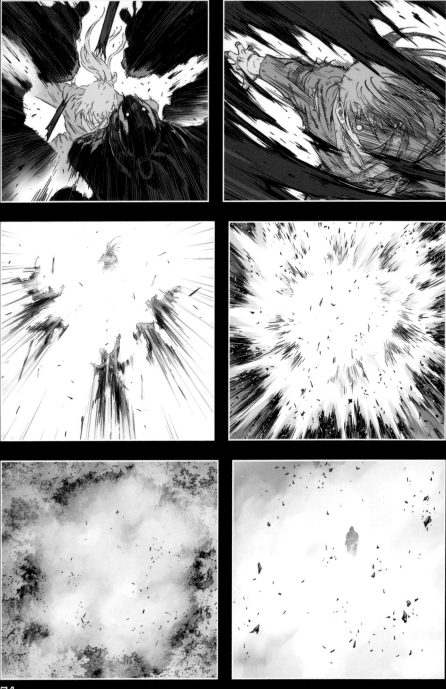

왜 갑자기 놈의 대응 방식이
공격적으로 바뀐 거지?

아니….

처음부터 소수의 인원으로
분리해서 상대하기 위한
전략이었던 건가?

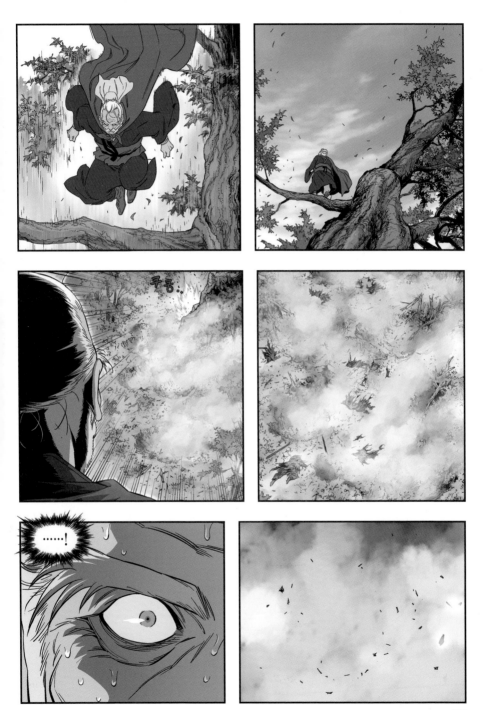

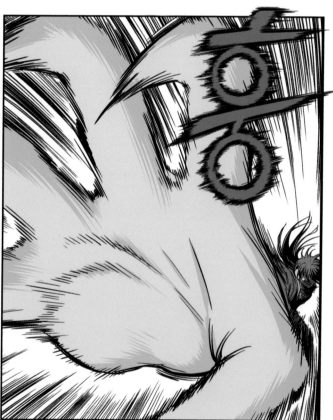

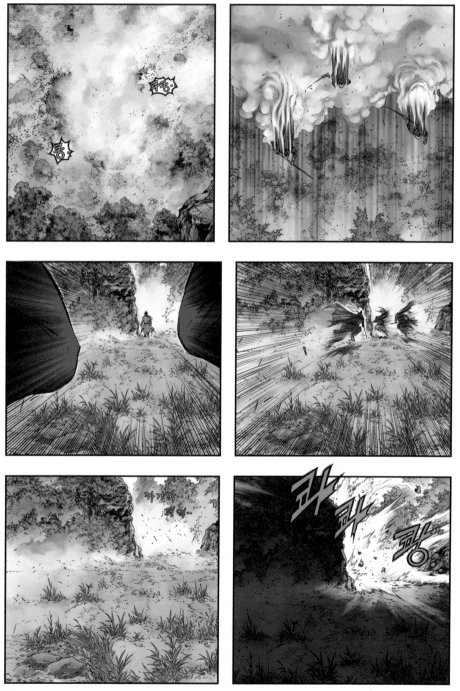

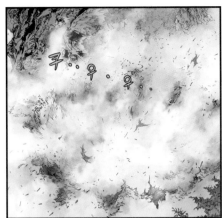

끄…윽…윽…

벌써 아무렇지도 않게
죽일 수 있게 된 거냐?

한 번… 살 수 있는
기회를 준 것으로
마음의 짐을 덜어버린 거냐.

저들이 자초한
결과라는 이유로
네 행동을 정당화할 수
있다고 생각해?

살인자.

형 때문에
아빠가 죽었어.

그러게,
내 뭐랬어….

……

쯧쯧….

결국 이렇게
되는구먼….

말했잖아,
학살자의 제자는
살인자일 뿐이라고….

......

......

......

지금이라도
멈추지 않으면,

네 자리로 영영
돌아올 수 없게
돼버릴 거다.

이제 그만
돌아가자,
용아.

크오…

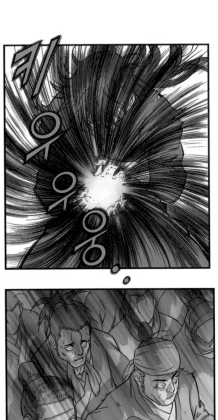

키

아

아

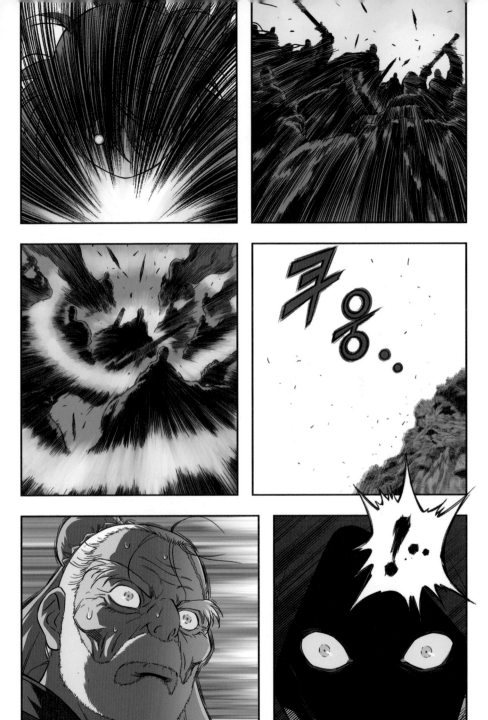

왜요?

왜 그런 표정을 하고 계신 거예요?

사부님도 이렇게 하셨잖아요.

방해가 되는 건 모조리 짓밟아버리는 방식.

그래서 내 아버지와 어머니를 죽인 것 아닌가요.

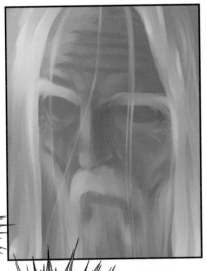

내가 조용히 살아가길 바랐겠지만,

그렇게는 안 돼요.

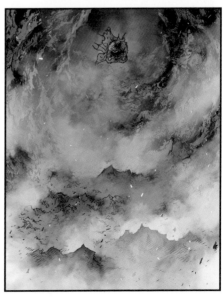

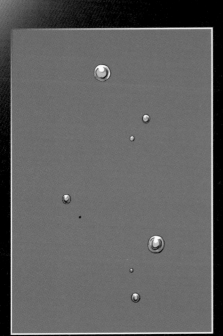

누구…?

왜 이런 데서
울고 있어?

저건…
당신이 한 짓이야?

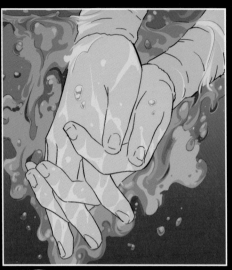

이거 봐.

아무리
씻어도…,

피가
안 지워져.

……,

위험한
사람이네….

………하는 편이
좋을 텐데?

치료는 마쳤지만
무리하면 덧날 수도
있으니까.

너….

뭐야.
아무리 나라고 해도
그 정도의 폭발에서
완벽하게 보호하긴
힘들다고.

그래서 애초에
피하는 게
좋을 거라고 했잖아.

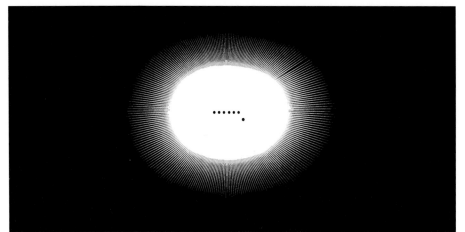

뭐였지,
그건?

내 기억…?

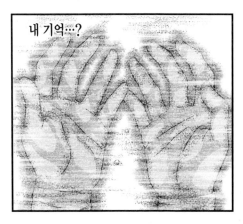

그럴 리 없어.

……

내가
그런….

지지리도
말 안 듣네,
진짜….

!

91

이 정도의 화력을 쏟아부었음에도 아무런 타격도 주지 못한 건가.

…….

저런 괴물을 상대로 최대한 시간을 끌어달라니….

제령왕께서 이 늙은이를 죽일 작정을 하신 게 아니고서야….

크극··

키이··

후우···

내 앞에서 꽁무니를
빼던 놈들과 다를 것도
없는 수준이군.

아닌 게 아니라
이 근처에선
할아버지의 기가
전혀 느껴지지 않아.

······

그때 할아버지의 기를
느꼈다고 생각한 건
착각이었나···.

하지만
그건 분명···.

…아니, 그만.
정신 차려, 진가령!

부활 파천문의 문주
흑룡왕 혈비!

퓨우우…

지금은
눈앞의 상대에
집중해야 돼.

흐트러진 정신 상태로
감당할 수 있는
적수가 아니야.

……

츱..

이거야….

훅..

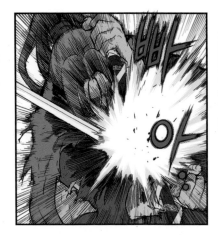

으윽!

……

훅윽 훅

뭐야…

막은 것도
피한 것도 아니고…
흡사 검격이
빨려 들어가는 것처럼
보였어.

관문을 통과했다기에
조금은 기대를 했건만…

처음부터 싸울 생각이
없었던 건 아닐 테고,

고작 본좌의
투기만으로 전의를
상실해버리기라도
한 건가?

108

할 맘이 없다면 지금이라도 돌아들 가라.

관문을 통과한 상으로 이번엔 특별히 그냥 보내주지.

살 기회를
제 발로 차버리는군!

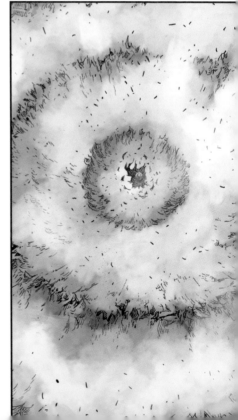

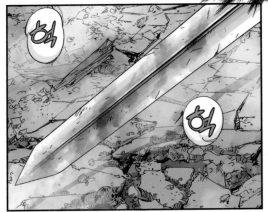

적어도…,

관문을 쥐구멍으로
통과한 건
아닌가 보군.

118

상처 부위가···,

재생되고 있어···?

이 정도가 너희가 가진 재주의 전부라면, 더 이상의 기회는 없을 게야!

하나···,

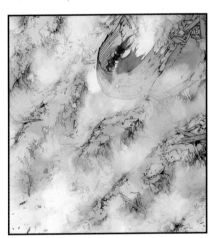

호오…. 제법이군.

하면,

한 번 더 받아낼 수 있겠느냐!

현천진공!

현천…진공?

현천진공이라면
구무림의
무공일 텐데….

사부가
누구인가?

무공을 가르쳐준 게
한두 분이 아니라서….

그보다….

상대는
세 사람인데,

너무 나 한 사람만
신경 쓰고 있는 건
아닌지?

선광천검!!

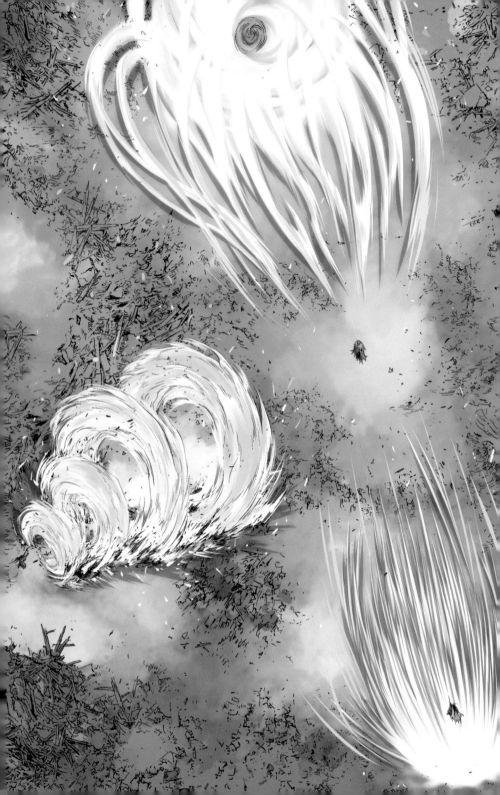

이…럴 수가.

휘

오

오…

선광천검이…
소멸됐어?

제길…!

혼신을 다한
만천멸사가….

이건
못 이기겠는데…?

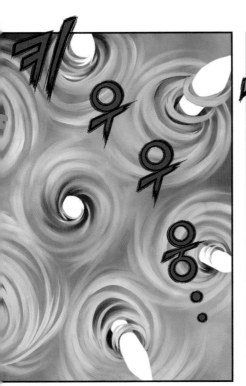

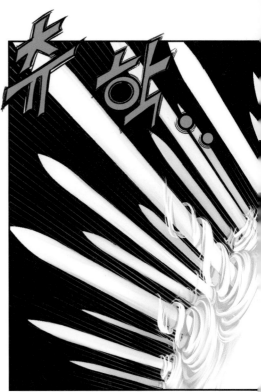

141

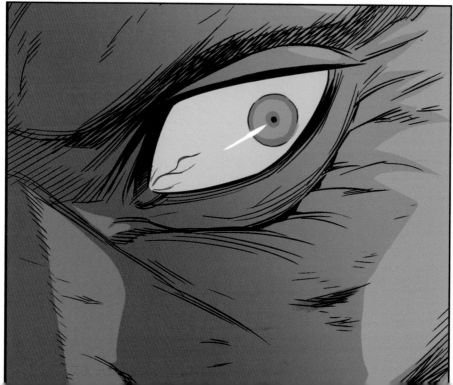

이거
놀랍군.

멀쩡해 보이는
그 모습도 그렇지만…

교룡갑이란 놈이
뭔가 조화를
부린 건가.

설마하니 제 발로
다시 찾아올 줄이야.

당신을 죽이고 환사를 죽인다. 달라진 건 없어.

후….

네놈의 그 객기 하난 마음에 든다만,

쿠우

과연 큰소리칠 만큼 달라진 게 있는지 한번 보겠다!

이 천박한
이물(異物)놈아!

!

네놈을 속박의 저주에서
벗어나게 해줄 수 있는 이는
오직 이 환사밖에
없다는 사실을…!

……。

쳇….

네놈이 시킨 대로 했는데
이렇게 돼버린 걸
나보고 어쩌란 거야.

이 녀석은 또
무슨 생각으로 이런
무모한 싸움을
하려는 건지…,

모르겠다….

인간이란 것들은
정말 모르겠어….

호오….

적어도 겉모습만
멀쩡해 보이는 건
아닌 모양이군!

그래도 조금은
기대를 했건만···

큰소리치더니
피해 다니는 게
고작이냐!

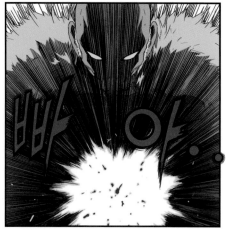

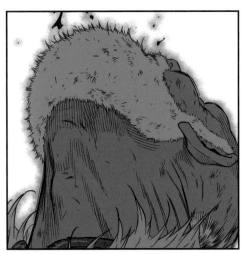

실망스러워….

168

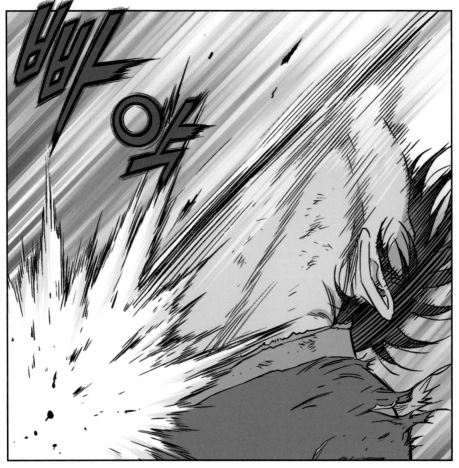

도대체
무슨 자신감으로
돌아왔나 했더니,

공격을 유도한 뒤 거리를 두고 피하면서 본좌의 힘이 빠질 때를 노린다…

그따위 뻔한 수작이 통할 거라 생각했나?

네놈의 사부에게 당한 수모를 생각하면,

이렇게 간단히 끝내는 걸 감사히 여겨라!

후우…

수…,

숨을…
쉴 수가…?

투
둑..!

그런 즉…,

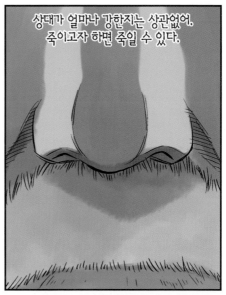

상대가 얼마나 강한지는 상관없어.
죽이고자 하면 죽일 수 있다.

이해하겠나?

……

후욱.

후욱.

그만!

여기까지만
하지.

계속했다간
이곳 신선림이 통째로
날아가버리겠어.

아…, 예옛,
죄송합니다.

훌륭하군.

파천신공이라는
무공도 그렇지만
자네의 성취가 더
놀랍네.

그 정도라면 굳이
나 같은 늙은이에게
조언 같은 걸 구할
필요는 없겠는데….

부끄러운 수준이지만
좋게 봐주셔서
감사합니다.

하능..

내 의견을
말하자면…,
이길 수 없네!

그…
그렇습니까?

하하..

그가 자네보다
강한 것이 확실하다면
그렇네.

무와 무의 대결에서
약자는 강자를 이길 수 없다,
이것이 내 지론이야.

그러니
그런 자와는
싸우지 말게.

만약 어쩔 수 없이
맞닥뜨리게 된다면…,

최대한 빨리
그자로부터 달아나게!

놈…!

방금의 암수는 무엇이냐!

그 또한 네놈의 사부가 전수한 살법이더냐?!

다시 한번 보여라!

단…,

무와 무의 대결이 아니라
죽고 죽이는 싸움이라면
얘기가 다르지!

말했듯이
무공과 무공의 대결에서
약자가 강자를 이길
묘수 같은 건 없네.

수련에 수련을 거듭해
그 강자를 능가하는 성취를
이루는 것만이
거의 유일한 길이지.

죽…고 죽이는
싸움….

말은 쉽지만
실제로 그렇게 될
가능성은 별로 없어.

높은 경지에 있는 자일수록
한 단계 더 나아가기가
그만큼 어려운 데다…
상대 역시 놀고만 있진
않을 테니.

지금의 자네는 '칼집 속의 칼'과 같은 상태일세.

지금까진 칼을 뽑지 않고도 제압 가능한 상대들만 만나왔을 터.

하나 칼집만으로 상대하기 힘든 적을 만난다면 칼집을 버리고 진검으로 싸워야 하네.

어느 정도 이상 경지에 오른 자들이라면 강약의 차이는 생각보다 크지 않아.

먼저 칼을 뽑는 자가 이긴다!

자네를 무디게 만드는 그 칼집을 벗어버리게.

?!

이건…!

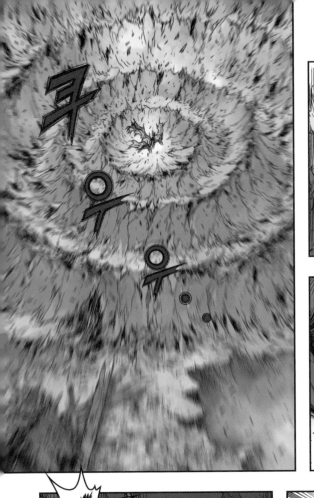

크으읍…!

으윽,
빨리 소멸시키지
않으면…!

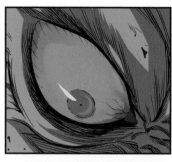

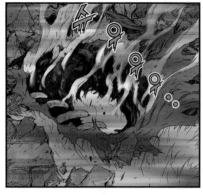

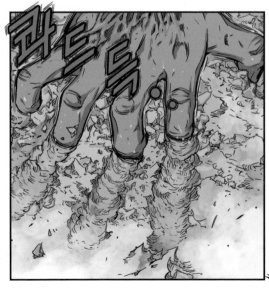

애송이 놈…!

더 이상
고통 없이 죽길
바라지 마라!

이...,

기공을 사용할 틈을
안 주겠다는 거냐.

으윽!

…….

이놈….

처음 기괴한 잡술에
혈맥이 파괴당한 건
방심이 부른 우연의
결과인 줄 알았는데,

파괴된 혈맥으로 인해
내 움직임이 둔화되자,

마치 기다렸다는 듯
숨 돌릴 틈 없이
몰아쳐 온다.

이건 단순히 내가 회복할
시간을 주지 않으려 하거나
기공 사용을 방해할 목적으로
발버둥 치는 수준이 아니야.

크윽…!

이 흐름은
위험하다.

빨리
벗어나지
않으면….

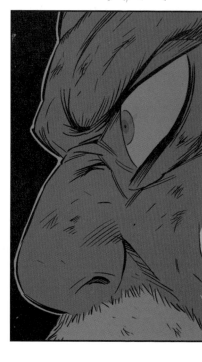

......

이…럴…
수가….

아무리…
놈의 전술에…
허…를 찔렸다고는
해도…,

이 혈비가…
이런 젖비린내 나는
애송이 놈에게.

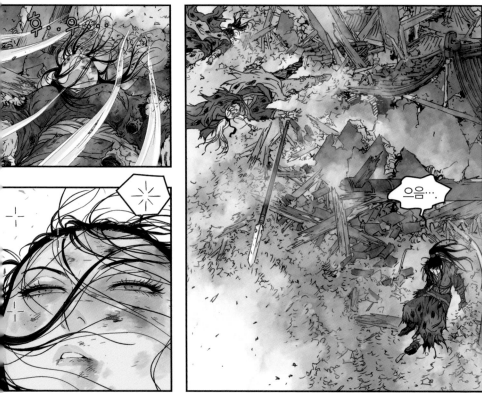

으음….

저건
설마,

그때의…!

묵륜공…?

누가 누구와
싸우고 있는 거야?

217

…그런 즉,

상대가 아무리 강하다 해도
죽이고자 하면 죽일 수 있다.

이해가 되는가?

……

강룡—!

!!

맞구나, 용이…!

여긴 언제 온 거야?!

그… 파천문주를 쓰러뜨린 건가?

쳇… 저 자식….

168화

뭐…야, 저게…?

잘린 팔이 재생…된 건가?

뿌득..

파악

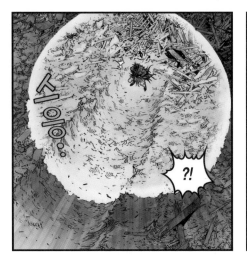

232

또 교룡갑이란
놈인가….

성가시게
구는군.

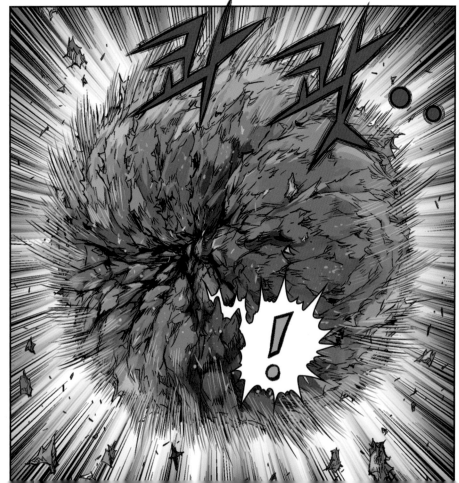

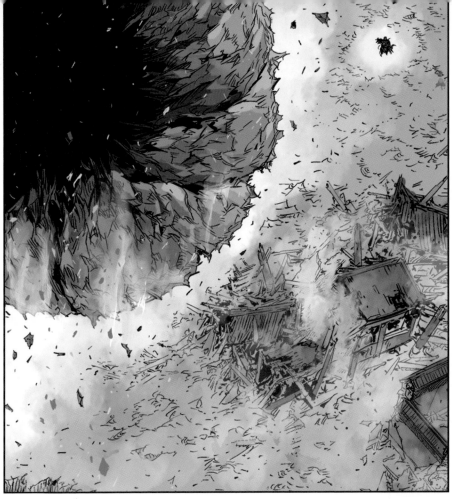

……!

저…건
도대체…

크
크
크

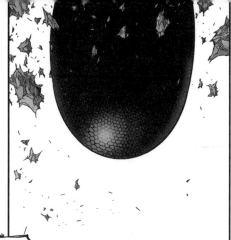

궁극의 방어구
교룡갑이라….

제법
이름값은 한다만.

삐—잉

쯔서 억..

푸 하 악..

의식을
잃었느냐…?

비록 이렇게
끝나게 됐다만…,

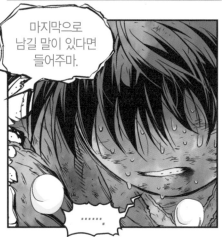

마지막으로
남길 말이 있다면
들어주마.

……

…없느냐?

네놈을 만나러 가는
선물로 이 애송이의
목을 가져가주마.

음?!

169화

이…!

쥐X끼가 아직 움직일 힘이 남아 있었더냐?

억!

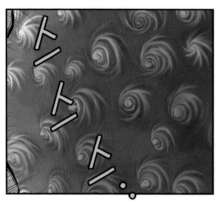

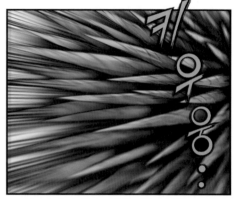

선광쇄절륜!

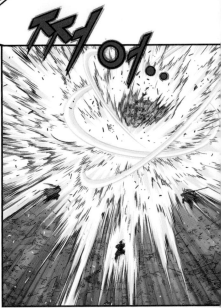

그렇게 멍하니 있을 때가 아니야!

잘린 팔도 다시 재생시키는 괴물이야!

셋이 협공한다 해도 일시적인 타격 정도만 줄 수 있을 뿐 도저히 이길 수 있는 상대가 아냐!

저자가 회복하기 전에 빨리 용이를 데리고…!

퍼

으악

쿠쿠쿠

진 소저!

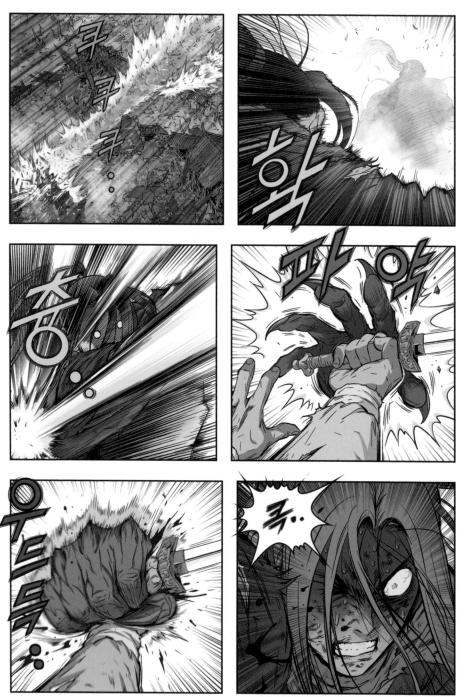

콸

콸

!

흐흥….
그 와중에
강룡이란 놈까지
빼돌렸다니….

ㅇㅉ

ㅇㅉ

ㅇㅉ

너희들 역시
살려줄 생각은
없다만,

고집을 부린다면
고통만 더
길어질 것이야.

……!

어리석은…

쿠 드 드 ..

무어냐,
네놈은…?

공격 대상을
오인한 것이냐?

아니면
실성이라도
했느냐?

265

오너라,
어리석은 개들아!

주인을 잘못 택한
결과가 어떤 건지
똑똑히 가르쳐주겠다.

아무래도
다른 길을 찾아봐야
할 것 같습니다.

하면 얼마나 더 걸릴 것 같은가?

길을 찾아봐야 알겠지만 여길 돌아서 가려면 최소 반나절 이상은 더 걸릴 것 같습니다.

그런가…

할 수 없지. 그럼 그렇게 하게.

저는 내릴게요.

여기서부턴 혼자 찾아갈 수 있을 것 같아요.

응?

아, 저….

그럼 데려다주셔서 감사합니다.

잠깐 기다리거라.

저, 정말 괜찮으시겠습니까?

괜찮으니까 걱정 말고 돌아가게.

저 때문이라면
굳이 이러실 필요
없으세요.

응?

그럼…
마차도 없이
어떻게 갈
생각이지?

방향을 알고 있으니
뛰어가면 금방
도착할 수 있어요.

뛰어간다?
이 벼랑 아래로?

선제님이랑
같이 가려면
뛰는 건
힘들겠네요.

가급적
덜 가파른 쪽을
골라서….

애, 애,
잠깐만!

예….
그런데 저 혼자라면
그러겠지만….

……

이름이 같아서 신기하게 생각했더니….

그 눈매, 그 성격 그리고 타인을 배려하는 따뜻한 마음씨까지…,

정말이지 내 동생을 다시 보는 것 같구나.

ㅎㅎ…

여기서 천곡산까진 내가 데려가 주도록 하마.

뛰어가는 것보다는 바람을 타고 가는 게 빠를 게다.

멀미가 날지도 모르니까 중심 잘 잡아야 해.

예?

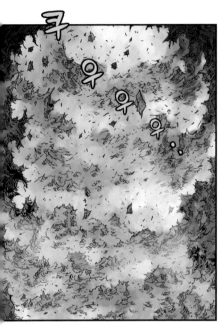

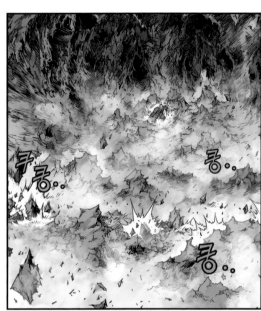

……!

과연…
이 옥천비가
인정한 남자
천잔왕 구휘.

그 긴 세월 동안
자신의 한계를
극복하기 위해
어느 정도의
수련을 해왔는지
상상조차
힘들구나.

…….

네놈
덕분이지.

천하 무림을
공포로 몰아넣었던
혈음마공이
고작 이 정도라고?

한데 너는 지금까지
뭘 하고 있었나?

이런 두더지 굴에
처박혀 있더니
무공도 썩어버린 건가?

전력으로 할
생각이 없다면

어쨌든
이 이상 장난질에
어울려 줄
생각은 없다.

더는 네놈에게
기회가 없을 것이야!

......

후 우.

그토록 오랜 시간이 지났건만
그 오만하고 고지식한 성격은
조금도 변한 게 없군.

오냐,
그렇게 죽고 싶다면
소원을 들어주지.

출수 도중
거두어들이지 않았다면
필시 용 공자와 너의 목숨을
소멸 시켰을 초식….

네가 보고 싶은 건
이것일 테!

아수라혈마공···

마환광멸!

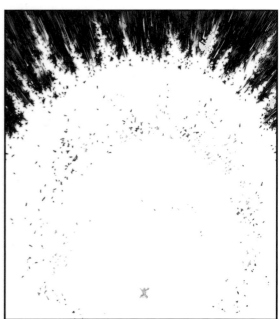

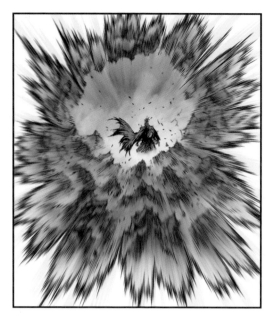

흐음…, 아직도 싸우고 있나 본데?

……!

돌아가자. 어? 네가 간다고 달라질 것도 없잖냐.

에이, 확…! 네놈은 그냥 거기서 기다리라니까 왜 따라와서 질척거려!

응?

쿠

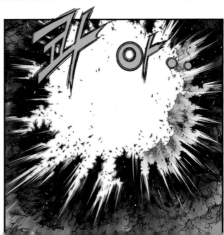

콰

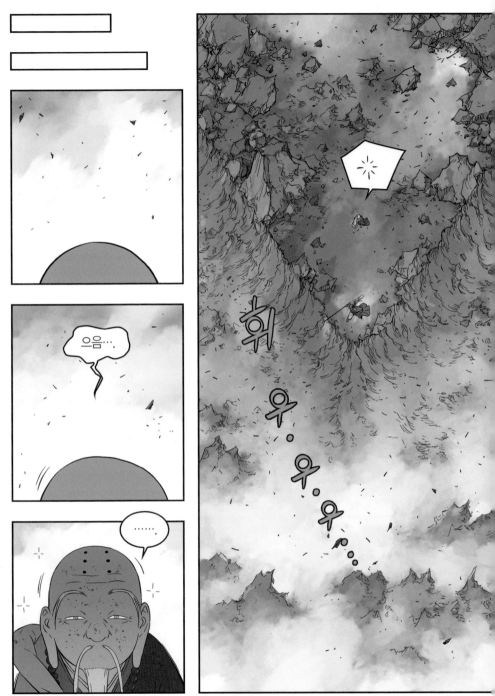

...막았...나?

어디 가,
또?

싸움은
끝났어.

둘 중 한 명은
죽었을 거다.

뭐?

그럼
여기서 나가야지
왜 그쪽으로 가?!

어이, 야ㅡ!
족제비ㅡ!

오….

선 채로
죽은 건가?

하여간
주둥아리….

······.

훌…륭…

…하…다….

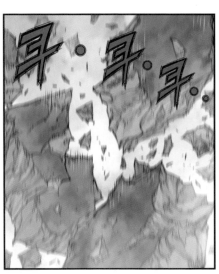

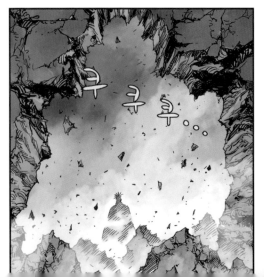

본좌의···
마환광멸을
완벽하게
깨트렸어.

축하하네.

171화

생각보다 그리 놀라진 않는 것 같군.

이미 짐작하고 있었던 건가?

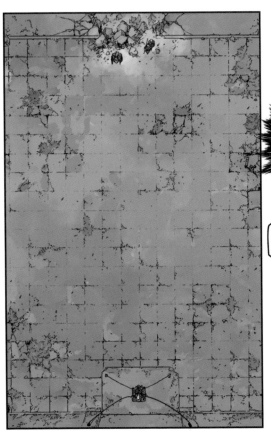

아무리 오랜 세월 동안 썩었다 해도,

혈음마공의 위력이 그 정도일 리가 없지.

그런가···. 그래도 어느 정도 속일 수 있지 않을까 생각했건만···.

나름 공들여 만든 꼭두각시였거든.

그것을
내게 준 자는…,
서역 땅 끝에서 온
푸른 눈의
주술사였다.

그자는 그것을
생명의 돌이라
부르더군.

생…명의 돌…!

효능은 놀라울 정도였지.

온몸이 썩어들어가 시체와 다름없던 내게 새로운 생명을 가져다주었으니.

좌절될 뻔한 중원 진출의 염원을 이룰 수 있었던 건 오로지 그가 내게 준 '단'의 힘 덕분이었다.

수십 년간 이런 곳에 처박혀 있다 보니 말상대가 그리웠던 모양인데…,

우린 네놈의 시시껄렁한 신세 한탄이나 듣자고 여기까지 온 게 아냐.

우리가 왜 너를 찾아왔는지에 대해 설명이 필요한가?

295

본좌의 생사 여부를 확인하고 확실히 숨통을 끊기 위함 아닌가….

그 정도는 알고 있다.

……

그리고… 지금 바로 그 얘길 하고 있는 중이야.

생명 연장이나 부활은 힘의 일부분일 뿐,

'단'의 진정한 힘은 이계(異界)의 문을 열고 그 힘을 끌어오는 데에 있다.

천하를 뒤흔들었던 수라마제 옥천비의 무공이 일개 주술사가 준 단약 덕분이라….

킥…

'단'의 힘을 빌린 것은 내 병의 치료까지였네.

중원을 정복하는 건 내가 가진 힘만으로도 충분했으니까.

실제로 너희들에게 증명해 보이지 않았던가.

아아? …그랬었나? 난 기억이 안 나는걸?

우리가 언제 정복당했더라…?

물론 끝맺음을 하진 못했지….

역설적이게도 중원 정복을 마무리 짓지 못하게 된 이유 또한 '단' 때문이었다.

앞서 말했듯 그것은 흔히 알고 있는 '단약'과는 다른 물질이다.

기물을 취한 자가 그 힘을 통제할 수 있는 동안엔 문제가 없지만,

통제력을 잃어버리게 되면 도리어 기물에게 먹히게 된다.

오히려 뢰신청룡검과 같은 '기물'에 더 가깝다고 할 수 있지.

한 가지…, '단'이 다른 기물들과 다른 점은 시간이 갈수록 그 힘이 증폭된다는 것이다.

어느 순간…, 어쩌면 '단'의 힘이 내 힘을 넘어설지 모른다는 불안감을 느끼기 시작했지.

지금에야 하는 말이지만 당시 두 사람을 상대로 사용한 힘은 내가 가진 힘의 전부가 아니었네!

힘의 일부는 폭발하려는 '단'의 기운을 억누르고 있어야 했기에….

너희 두 사람과 내가 만난 건 그 불안이 점점 현실로 되어가던 무렵이었다.

이야~~~, 오늘 참신한 소식 많이 듣네, 이거….

그래서 우리 위대한 수라마제께서는 그 '단'인지 뭔지가 폭주할까 봐 신경을 집중시키는 바람에

우리 같은 하찮은 놈들의 몽둥이질에 **치명상**을 입고 도주하는 추태를 감수하셨단 말이지?

'푸른 눈의 주술사의 제자.'
···놈은 자신을
그렇게 소개하더군.

스승님의 유지에 따라
생명의 돌은 회수한 뒤
파괴할 것입니다.

필요한 모든 준비를
갖추어두었으니
저희와 함께 가시지요.

······

생각해 보면
의심스러운 부분이
없지 않았건만,

오랜 고통에서
벗어날 수 있다는
안도감이 내 판단력을
흐려 놓은 탓이었을까···

오오오!!

이것이 생명의 돌…!

드디어 이 환사의 손으로 문을 열수 있게 된 건가!

너…는 그의 제자가… 아니구나….

그것은… 사욕으로 탐할 물건이 아니다…. 이리 다시 가져오너라.

이미 늦었소.

하나 약속대로 안식은 취할 수 있게 해드리지.

음?!

!

너희가…
이… 옥천비를
물로 보았구나….

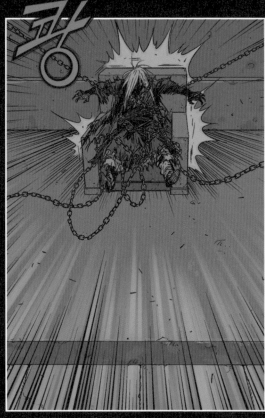

크으음!

이···놈!!

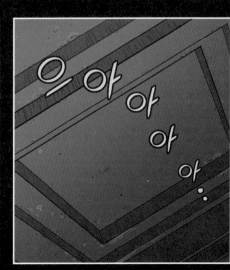

두 구의 '환마지체'는
죽은 내 몸을 대신해
분신 역할을
충실히 수행했지만,

놈이 쳐놓은 결계 밖으로
한 발짝도 나갈 수
없다는 사실을,

분신 하나를
잃고 나서야
알게 됐지.

결국 놈이
스스로 이곳으로
오지 않는 이상,

놈을 만날 수 있는 길은
없다는 걸 깨달았네.

환사…,
그 주술사 놈을 맞기 위해
꾸며 놓았던 무대는
자네들과의 한바탕 유흥으로
끝나버리게 된 셈이지만…,

결계를 뚫고 들어온 자가
놈이 아니라 자네들이어서
더 잘된 일일지도 모르겠군.

내게 주어진 시간은
조금 전의 그 일전으로
다했다.

후..

적어도
그저 세월만 보내고
늙어버린 건
아닌 듯하니….

이제 곧 부서져갈
몸뚱어리와 함께
의식 또한 소멸될 터.

이 옥천비의 죽음에 굳이
자네들의 손을 빌릴 필요는
없다는 말일세.

313

내 말을 믿건 안 믿건
너희들의 선택이다.

이계의 힘이
폭주하기 전에
생명의 돌을 찾아내
파괴하든…,

쿵.

지옥이 도래하는 것을
지켜보든,

쿵쿵

쿵.

그 선택 또한 남겨진
너희들의 몫….

314

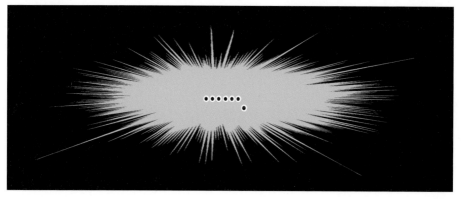

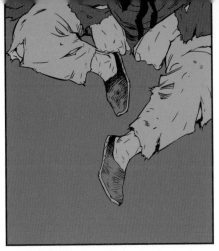

살…아…
있었나….

난 안 죽어.

그건 간단한
속임수였을
뿐이야.

……

지금까지 별의별 인간들을 겪어 봤어도,

너같이 답답하고 고집불통인 인간은 처음이다.

이제 좀 현실이 느껴져?

협(俠), 정의(正義)…, 듣기엔 좋은 말들이지만…,

적어도 이곳 무림이란 곳에선 힘이 곧 '협'이고 '정의'야.

약해빠진 것들이 입만 살아서 떠드는 말 따위 누구도 귀 기울이지 않아.

힘으로 무림을 장악했던 역대 패왕들은 추종하는 이들도 있고 반발하는 쪽도 있지만,

반발하는 쪽에서도 그들을 증오할지언정 경멸하는 사람은 없어.

하지만 협이나 정의를 떠들면서 정작 자기 가족조차 지켜낼 힘도 없는 이상주의자들은 양쪽 모두로부터 경멸의 대상이 되지.

약자에겐 무자비하고 강자에게 한없이 관대한…, 그것이 무림이란 세계다.

그걸 받아들일 수 없으면 무림계를 떠나면 돼.

여길 무사히 벗어나면 최대한 멀리 도망쳐, 아무도 찾지 못할 곳으로….

그리고 두 번 다시 무림으로 돌아오지 마.

이번 상처는 꽤 지독해서 치료하는 데 제법 시간이 걸릴 것 같아.

도중에 기회를 봐서 빠져나갈 테니 내게 맡기고 좀 더 쉬어.

너한텐 무림이란 세계가 안 맞아!

어떻게 하면…,

저렇게까지
강해질 수가
있는 거지…?

네… 힘을
빌리면…,

저 혈비를
죽일 수도 있나?

이제 와서
무슨….

못 죽여.

놈이 각성하기 전이라면 모를까,

죽이기는커녕 우리 둘이서 아무리 용을 쓴다 해도 지금의 혈비를 상대로는 3합도 못 버틸 거다.

그…렇군.

칵…

크 크 크…

……

쿡 쿡 쿡 쿡…

뭐,
그렇지만…,

방법이
전혀 없는 건
아냐.

혈비가 저토록 강한 건
'생명의 돌'이라 불리는
'단'을 취했기 때문이야.

제령왕 환사가 수십 년간 모든 걸 바쳐 만들어낸 '기물'!

혈비의 저 터무니없는 힘의 원천이지.

하지만…,

혈비가 가진 '단'이 유일한 생명의 돌은 아니야.

하나가 더 있어!

환사가 마교 교주 옥천비의 몸에서 추출한…,

푸른 눈의 주술사가 남긴 '생명의 돌'!

혈비의 '단'은
그것을 연구하고
개량한 끝에 탄생한
결과물이지.

그럼…, 푸른 눈의 주술사가 남긴
그 생명의 돌은
어디에 있을 것 같아?

……. 내가 처음
네게로 왔을 때…,

네 몸속에
심어 두었다.

…지금은 아직
봉인된 채
잠들어 있지만….

정말로
강해지고 싶어?

그럼
'단'을 깨워.

324

네 의지만 충분하다면 '단'이 반응할 거다.

......

쉽진 않을 거야.

네게 그럴만한 자격이 없다고 판단되면 놈이 널 집어삼켜버릴 테니까.

…그리고 기억해둬.

생명의 돌…, 한 번 그 힘을 손에 넣게 되면…,

두 번 다시 이전의 너로는 돌아갈 수 없을 거다.

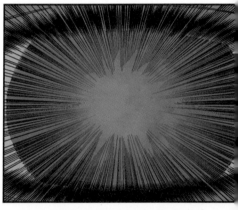

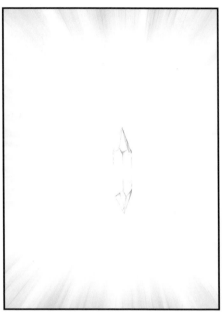

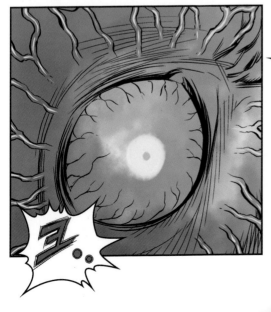

오오오!!

드디어…!

아, 뭐 해?!
안 오면
나 혼자 간다!

그새를 못 참고
어지간히
안달이네.

이제 그만
가자고.

......

......

흐음….

왠지…
아까 왔던 길이
아닌 거 같은데…?

철렁··

어—이, 스님!
지금 제대로 가고
있는 거 맞소?

......!

얌마, 땡추!

아 거, 씨X!

못 믿겠으면 네놈이 직접 찾아보든가!

물어볼 수도 있는 거지, 발끈하기는.

저놈의 성질머리….

ㄱ웅..

?

엇! 뭐, 뭐야? 방금 동굴 전체가 진동한 거 같은데?

333

흐흥…!
네놈들은 왜
덤벼오지
않는 게냐?

환사로부터 무슨
새로운 지령이라도
내려왔느냐?

킥‥

14권에 계속

고수 13

2023년 7월 25일 초판 1쇄 발행

저자   문정후 류기운

발행인   정동훈
편집인   여영아
편집책임   최유성
편집   양정희 김지용 김서연
디자인   디자인플러스
본문편집   한상희

발행처   (주)학산문화사
등록   1995년 7월 1일
등록번호   제3-632호
주소   서울특별시 동작구 상도로 282 학산빌딩
편집부   02-828-8988, 8836
마케팅   02-828-8986

ISBN 979-11-411-1318-6
ISBN 979-11-6927-882-9(세트)

값 15,000원